# *Cu*
# INDONÉSIENNE

**KÖNEMANN**

# LA CUISINE INDONÉSIENNE

*Les plats indonésiens comptent parmi les plus délicieux du monde. Créez vos propres plats grâce aux indications faciles et illustrées qui vous y conduiront pas à pas.*

## INGRÉDIENTS DE BASE

Ayez sous la main les ingrédients suivants pour vous faciliter la préparation des plats indonésiens. Vous trouverez la plupart de ces ingrédients dans votre supermarché ou chez votre épicier. Certains, très particuliers, sont vendus dans des épiceries asiatiques. D'autres, comme le Sambal Oelek, peuvent être préparés à la maison.

**Cardamome :** épice de la famille du gingembre. Les graines sont achetées entières, enveloppées ou dépouillées de leur gousse, ou encore moulues.

**Chou chinois :** a plutôt l'air d'une laitue ou d'une énorme tête de céleri. Il est croquant et son goût est délicat.

**Citronnelle :** une herbe au goût de citron. C'est l'extrémité bulbeuse qui a le plus de saveur. Généralement ajoutée en gros morceaux à un plat, on l'enlève avant de servir, car elle est très forte. On obtient facilement de la citronnelle chez les épiciers et dans les magasins d'alimentation asiatiques. On peut aussi l'acheter séchée, mais son goût est différent. Avant d'ajouter de la citronnelle à un plat, écrasez la tige pour réduire la chair en purée et en extraire le jus, ou bien incisez la tige en laissant l'une des extrémités intacte.

**Coriandre :** les Indonésiens n'utilisent que les graines de coriandre, ni les feuilles ni les racines.

**Crème de noix de coco :** épais liquide blanc qui remonte à la surface quand on laisse reposer le lait de coco.

**Cumin :** épice aromatique au goût relevé. On achète les graines entières ou moulues.

**Curcuma :** racine épicée ressemblant au gingembre, généralement vendue séchée. Donne aux plats un goût relevé et une forte couleur jaune.

**Farine de riz :** du riz blanc ou brun finement moulu, souvent utilisé pour épaissir.

**Feuilles de curry :** sont originaires du Sud-Est asiatique et, comme leur nom le suggère, donnent aux plats la saveur du curry.

**Gingembre :** il est recommandé d'utiliser de la racine de gingembre fraîche plutôt que séchée. Les Indonésiens utilisent également du laos et du galangal qui donnent une saveur similaire et sont vendus de temps à autre dans les épiceries asiatiques.

**Huile d'arachide :** une huile légère, souvent utilisée dans la cuisine indonésienne. On prend également de l'huile de coco.

**Huile de sésame :** une huile à la saveur puissante, utilisée en petites quantités.

**Lait de coco :** il ne s'agit pas du jus provenant de l'intérieur de la noix de coco fraîche, mais du liquide extrait de la chair blanche de la noix.

**Mange-tout :** gousses de pois larges, vertes, au goût fin et sucré, que l'on mange entières.

**Noix de Bancoul (kemiri) :** ces noix qui poussent sur le bancoulier des Moluques ressemblent à des noisettes d'Australie et ont le goût des noix du Brésil. À acheter dans une épicerie asiatique.

**Nouilles en rubans :** ressemblent à des spaghetti très fins enroulés en petits nids.

**Oignon vert :** également connu sous le nom d'oignon fane.

**Pâte de crevettes (terasi) :** pâte salée, extrêmement piquante, vendue en pots, mais aussi en blocs durs. À utiliser avec parcimonie.

**Piments :** les petits piments rouges sont les plus forts. Les piments rouges plus larges sont plus doux et les verts encore plus doux. On enlève souvent les graines, car elles sont ce que le piment a de plus fort

**Poivron :** rouge ou vert, également connu sous le nom de piment doux.

**Sambal Oelek (ou Ulek) :** condiment fort fait de piments broyés et de sel. On ajoute parfois d'autres ingrédients comme du sucre et du vinaigre. Voir page 16 pour la recette.

**Sauce au soja (kecap) :** sauce légère au soja qui est liquide et salée. Le Kecap manis est une sauce au soja foncée, épaisse et sucrée.

**Sucre de palme :** sucre brun foncé fait avec le jus de la fleur de cocotier. Vendu en blocs durs dans les épiceries asiatiques ; cassez la quantité nécessaire et écrasez le sucre.

**Tamarin (asam) :** fruit du tamarinier. Peut être acheté en bloc dur que l'on fait mijoter dans de l'eau pendant quelques minutes avant d'en presser le jus. Enlevez la pulpe et utilisez le liquide. Le tamarin est aussi proposé sous forme de pâte ou de sauce ne nécessitant aucune préparation préalable. Il donne aux plats un goût acidulé.

**Tofu (fromage de soja) :** pâté blanc préparé avec des graines de soja.

**Vermicelle chinois :** nouilles de riz fines, blanches, légèrement transparentes, enroulées en écheveaux.

*Décortiquez les crevettes et enlevez la veine dorsale.*
*Coupez les filets de poissons en cubes de 2 cm.*

*Versez suffisamment d'eau chaude sur le vermicelle*
*pour qu'il en soit recouvert. Laissez reposer.*

# SOUPES, SATAYS ET ACCOMPAGNEMENTS

**Les plats indonésiens sont connus pour leurs sauces piquantes et leurs pâtes d'assaisonnement préparées avec des herbes moulues, fraîches et parfumées.**

## Laksa aux fruits de mer

*Un plat au vermicelle chinois*

*Temps de préparation :*
25 minutes
*Temps de cuisson :*
10 minutes
*Pour 4 personnes*

---

500 g de crevettes roses fraîches
de taille moyenne
500 g de filet de poisson blanc
150 g de vermicelle chinois
1,5 l de court-bouillon
4 oignons verts hachés
1 tige de citronnelle de 10 cm
1 cuil. à soupe de pâte de
curry
250 ml de lait de coco

1 cuil. à café de sambal oelek
(voir Ingrédients de base)
1 cuil. à café de pâte de
crevettes
1 cuil. à café de curcuma
moulu
1 1/2 tasse de laitue coupée
en fines lanières
2 cuil. à soupe de menthe
hachée

---

10 minutes, puis égouttez.

**3.** Mélangez dans une casserole le bouillon de poisson avec les oignons verts, la citronnelle, la pâte de curry, le sambal oelek, la pâte de crevettes et le curcuma. Portez à ébullition. Réduisez le feu et laissez mijoter 3 minutes à feu doux.

**4.** Ajoutez les crevettes, le poisson et le lait de coco, laissez mijoter 3 minutes. Enlevez la citronnelle.

**5.** Avant de servir, mettez la laitue et le vermicelle dans des bols, ajoutez la soupe, parsemez de menthe.

**1.** Décortiquez les crevettes et enlevez la veine dorsale. Coupez les filets de poisson en cubes de 2 cm.

**2.** Mettez le vermicelle chinois dans un grand saladier. Recouvrez d'eau chaude. Laissez reposer

## CUISI-TRUC

Remplacez le bouillon de poisson par de l'eau ou du bouillon de poule.

*Ajoutez au bouillon de poisson les oignons verts, la citronnelle, les pâtes et le curcuma.*

*Ajoutez les crevettes, le poisson et le lait de coco ; laissez mijoter 3 minutes.*

## Soupe au bœuf et aux légumes

*Temps de préparation :*
10 minutes
*Temps de cuisson :*
2 heures 30
*Pour 4 personnes*

---

750 g de poitrine de bœuf non désossée
2 l d'eau
2 feuilles de laurier
1 tige de citronnelle de 10 cm
1 cuil. à soupe d'huile
1 oignon émincé de haut en bas
2 gousses d'ail écrasées
10 noix de Bancoul grossièrement hachées (voir Ingrédients de base)

2 cuil. à café de gingembre frais râpé
1/2 cuil. à café de curcuma moulu
1 cuil. à soupe de sauce légère au soja
2 tasses de chou chinois coupé en fines lanières
1 tasse de germes de soja
1 poivron rouge coupé en lanières fines

---

**1.** Mettez la poitrine de bœuf dans une grande marmite, le gras tourné vers le bas. Laissez cuire à feu moyen jusqu'à ce qu'elle soit dorée.

**2.** Ajoutez l'eau, les feuilles de laurier et la citronnelle, et portez à ébullition. Baissez le feu, couvrez et laissez mijoter 2 heures à feu doux. Sortez la viande du bouillon, enlevez le gras et l'os, coupez la viande en cubes de 1 cm, passez le bouillon. Remettez le bouillon et la viande dans la marmite.

**3.** Faites chauffer l'huile dans une petite casserole. Ajoutez l'oignon, l'ail, le gingembre, les noix de Bancoul et le curcuma. Faites revenir 3 minutes en remuant.

**4.** Mettez le mélange à l'oignon dans une marmite plus grande avec la viande et le bouillon. Ajoutez la sauce au soja et laissez mijoter 20 minutes.

**5.** Mélangez le chou, les germes de soja et le poivron rouge dans un grand saladier. Versez suffisamment d'eau chaude pour couvrir le tout. Laissez reposer 2 minutes, puis égouttez.

**6.** Avant de servir, mettez le mélange au chou dans des terrines et versez la soupe dessus.

**Note :**
Jusqu'au n° 3, la soupe peut être préparée 3 jours à l'avance.

*Ajoutez l'eau, les feuilles de laurier et la citronnelle dans la grande marmite et portez à ébullition.*

*Dans une casserole, ajoutez les noix de Bancoul au mélange d'oignon, d'ail, de gingembre et de curcuma.*

Mettez le mélange à l'oignon dans une plus grande marmite avec la viande et le bouillon.

Mélangez les légumes dans un grand saladier, recouvrez d'eau chaude. Laissez reposer.

# Soupe aux légumes et aux nouilles

*Temps de préparation :*
15 minutes
*Temps de cuisson :*
10 minutes
*Pour 4 personnes*

100 g de nouilles en ruban
1,5 l de bouillon de poule
100 g de chou-fleur détaillé
   en bouquets
100 g de chou chinois coupé
   en bouchées
4 oignons verts

1 grosse tomate pelée et coupée
   en morceaux
1 cuil. à soupe de sauce légère
   au soja
1 cuil. à café de cumin moulu
1 cuil. à café de coriandre
   moulue

**1.** Faites tremper les nouilles en ruban dans de l'eau chaude pendant quelques minutes jusqu'à ce qu'elles se séparent, puis égouttez-les.

**2.** Préparez les légumes, hachez finement les oignons verts. Faites chauffer le bouillon dans une casserole, ajoutez le chou-fleur, le chou, les oignons verts hachés, la tomate, la sauce au soja, le cumin et la coriandre ; portez à ébullition, puis baissez le feu et laissez mijoter 5 minutes à découvert.

**3.** Ajoutez les nouilles, laissez mijoter encore 3 minutes jusqu'à ce que les nouilles soient cuites. Servez la soupe immédiatement.

*Préparez les nouilles, le chou-fleur, le chou chinois, les oignons verts et la tomate.*

*Ajoutez les légumes coupés dans la casserole avec le bouillon chaud.*

*Ajoutez la tomate, la sauce au soja, le cumin et la coriandre ; portez à ébullition.*

*Ajoutez les nouilles ; laissez mijoter encore 3 minutes jusqu'à ce que les nouilles soient cuites.*

# Satays de poulet à la sauce aux cacahuètes

*Temps de préparation :*
15 minutes
*Temps de cuisson :*
10 minutes
*Pour 8 personnes*

---

8 blancs de poulet
2 cuil. à soupe de sauce légère au soja
2 cuil. à café de jus de citron vert
2 cuil. à café d'huile de sésame

*Sauce aux cacahuètes*
100 g de cacahuètes grillées non salées
3 oignons verts hachés

2 gousses d'ail
1 cuil. à café de curry en poudre
1 cuil. à café de cumin moulu
1/2 cuil. à café de coriandre moulue
1 cuil. à soupe de miel
2 cuil. à café de sauce légère au soja
250 ml d'eau

---

**1.** Coupez les blancs de poulet en longues bandes minces que vous enfilerez sur 32 brochettes en bois.

**2.** Pour préparer la sauce aux cacahuètes : dans un robot, mettez les cacahuètes, les oignons verts, l'ail, le curry en poudre, le cumin, la coriandre, le miel, la sauce au soja et l'eau ; mélangez jusqu'à obtention d'une pâte homogène. Versez dans une casserole, remuez 3 minutes à feu moyen jusqu'à ce que la sauce réduise et épaississe.

**3.** Laissez cuire les satays de poulet 3 minutes de chaque côté sous un gril préchauffé jusqu'à ce qu'ils soient à point. Pendant la cuisson, enduisez les satays d'un mélange de sauce au soja, de jus de citron vert et d'huile de sésame. Servez immédiatement avec la sauce aux cacahuètes très chaude.

**Note :**
La sauce aux cacahuètes peut être préparée la veille et gardée au réfrigérateur. Réchauffez-la à feu moyen.

## CUISI-TRUC

Si vous prenez des brochettes en bois, faites-les tremper dans l'eau pendant au moins 10 minutes avant de les utiliser pour éviter qu'elles ne brûlent pendant la cuisson.

*Coupez les blancs de poulet en longues bandes minces et enroulez-les sur les brochettes.*

*Broyez au mixeur les ingrédients pour la sauce aux cacahuètes jusqu'à obtention d'un mélange homogène.*

*Faites chauffer la sauce aux cacahuètes à feu moyen jusqu'à ce qu'elle réduise et épaississe.*

*Enduisez les satays de poulet avec un mélange de sauce au soja, de jus de citron vert et d'huile de soja.*

## Satays d'agneau à la noix de coco

*À préparer la veille.*

*Temps de préparation :*
10 minutes + 2 heures
de repos
*Temps de cuisson :*
6 minutes
*Pour 4 personnes*

| | |
|---|---|
| *4 tranches de gigot d'agneau (environ 800 g)* | *1 cuil. à soupe de vinaigre* |
| *1 petit oignon* | *1 cuil. à café de sambal oelek (voir Ingrédients de base)* |
| *1 gousse d'ail écrasée* | *1/4 de tasse de noix de coco séchée* |
| *1 cuil. à soupe de sauce au tamarin* | *2 cuil. à soupe d'huile* |
| *1 cuil. à soupe de sauce légère au soja* | *1 cuil. à café d'huile de sésame* |

l'oignon haché, l'ail, la sauce au tamarin, la sauce au soja, le vinaigre, le sambal oelek et la noix de coco. Laissez mariner pendant 2 heures ou mettez une nuit au réfrigérateur.

**3.** Enfilez la viande sur des brochettes, enduisez avec le mélange d'huiles·et laissez cuire 3 minutes sous un gril très chaud.

**1.** Enlevez le gras et les os du gigot d'agneau et coupez la viande en cubes de 2 cm.

**2.** Mélangez l'agneau avec

**CUISI-TRUC**

Essayez cette marinade avec du bœuf, du poulet ou du porc.

*Enlevez le gras et les os du gigot d'agneau et coupez la viande en cubes de 2 cm.*

*Incorporez l'oignon, l'ail, le tamarin, le soja, le vinaigre, le sambal oelek et la noix de coco.*

*Enfilez sur des brochettes les cubes d'agneau marinés dans le mélange au sambal oelek.*

*Enduisez du mélange d'huiles ; laissez cuire 3 minutes sous un gril très chaud.*

## Sauce aux cacahuètes

*Très appréciée.*

250 g de cacahuètes grillées
non salées
1 petit oignon haché
1 gousse d'ail hachée
1 cuil. à café de gingembre
frais haché
1 cuil. à café de pâte aux
crevettes
1 cuil. à café de sambal oelek
(voir Ingrédients de base)
1 cuil. à soupe de sauce légère
au soja
1 cuil. à soupe de jus de
citron
1/2 tasse de chutney aux
mangues
250 ml d'eau

*Temps de préparation :*
5 minutes
*Temps de cuisson :*
5 minutes
*Donne 2 tasses*

robot jusqu'à obtention d'un mélange homogène.

**2.** Versez le mélange dans une casserole et portez à ébullition. Baissez le feu, laissez mijoter à feu doux en remuant de temps en temps pendant environ 5 minutes jusqu'à ce que la sauce réduise et épaississe.

**Note :**

Utilisez la sauce aux cacahuètes pour accompagner vos plats de viande ou de légumes. Elle convient pour les satays ou pour les légumes (gado-gado).

**1.** Hachez grossièrement les cacahuètes et l'oignon. Broyez tous les ingrédients dans un

## Bananes frites

*Temps de préparation :*
5 minutes
*Temps de cuisson :*
3 minutes
*Pour 2 personnes*

***Un excellent accompagnement pour les currys.***

3 grosses bananes
1 tasse de noix de coco séchée
1/4 de tasse d'huile
d'arachide

**1.** Épluchez les bananes, coupez-les en grosses tranches biseautées et mélangez avec la noix de coco.

**2.** Faites chauffer l'huile dans une poêle, ajoutez les bananes, laissez cuire à feu doux en remuant jusqu'à ce qu'elles soient bien cuites et que la noix de coco commence à brunir.

*Pour la sauce aux cacahuètes : hachez les cacahuètes et préparez l'oignon, l'ail et le gingembre.*

*Broyez tous les ingrédients dans un robot jusqu'à obtention d'un mélange homogène.*

*Pour les bananes frites : ajoutez la noix de coco aux bananes en tranches.*

*Cuire les bananes à feu doux en remuant jusqu'à ce qu'elles soient chaudes et que la noix de coco ait bruni.*

## Sambal Oelek

*Temps de préparation :*
10 minutes
*Temps de cuisson :*
15 minutes
*Donne 1 tasse*

**Utilisez le sambal oelek comme accompagnement très relevé ou ajoutez-le aux recettes pimentées.**

---

*200 g de petits piments rouges*
*250 ml d'eau*
*1 cuil. à café de sel*
*1 cuil. à café de sucre*
*1 cuil. à soupe de vinaigre*
*1 cuil. à soupe d'huile*

---

**1.** Enlevez les queues des piments. Hachez grossièrement la chair. Dans une casserole, mettez l'eau et les piments, portez à ébullition. Baissez le feu, couvrez et laissez mijoter 15 minutes à feu doux.
**2.** Mettez les piments dans un robot, ajoutez le sel, le sucre, le vinaigre et l'huile et broyez jusqu'à ce que tout soit finement haché. Vous pouvez garder le Sambal Oelek au réfrigérateur dans un petit pot en verre (avec un couvercle non métallique) pendant 15 jours.

## CUISI-TRUC

Portez des gants en caoutchouc quand vous touchez les piments pour éviter tout contact avec la peau. Vous pouvez utiliser des ciseaux ou un couteau de cuisine pour couper les piments. Lavez ensuite soigneusement le couteau et la planche à découper. Les graines sont ce que le piment a de plus fort. Vous pouvez, selon votre goût, les enlever ou non.

## Concombre

*Temps de préparation :*
10 minutes
*Temps de cuisson : –*
*Pour 4 personnes*
**1.** Épluchez le concombre ;

---

*1 gros concombre*
*1 cuil. à soupe de sucre de palme*
*2 cuil. à soupe de vinaigre*
*1/2 cuil. à café de sel*
*1 cuil. à soupe de menthe hachée*

---

coupez-le en deux dans le sens de la longueur, puis évidez-le. Coupez les deux moitiés de concombre en tranches.
**2.** Mélangez le sucre, le vinaigre, le sel et la menthe. Versez sur le concombre. Servez comme accompagnement.

*Pour le Sambal Oelek : enlevez les queues des piments et hachez grossièrement la chair.*

*Ajoutez sel, sucre, vinaigre, huile et piments ; broyez pour obtenir un mélange homogène.*

*Pour le condiment au concombre, épluchez -le ,*
*coupez-le en deux dans le sens de la longueur, évidez-le.*

*Mélangez le sucre, le vinaigre, le sel et la*
*menthe. Versez sur le concombre en tranches.*

Huilez les bandes de calicot et répartissez le riz dessus.

Donnez au riz la forme de rondins et enveloppez-les en prenant le côté le plus large.

# RIZ & LÉGUMES

**Le riz est toujours la base d'un repas indonésien. On le sert habituellement avec un curry et au moins deux plats de légumes.**

## Bûchettes de riz à la vapeur

*2 tasses de riz long grain*
*2 tasses d'eau*
*4 bandes de calicot écru*
  *de 25 x 15 cm*
*Huile*

**1.** Rincez le riz sous l'eau froide, puis égouttez. Mettez-le dans une casserole avec l'eau et portez à ébullition. Baissez le feu, laissez mijoter à feu doux pendant 5 minutes jusqu'à ce que l'eau soit absorbée. Laissez refroidir.
**2.** Huilez les bandes de calicot propres et répartissez le riz

*Temps de préparation :*
5 minutes
*Temps de cuisson :*
2 heures 5 minutes
*Pour 4 personnes*

dessus. Donnez au riz la forme de rondins; enroulez-les dans le calicot. Nouez les bouts avec une ficelle.
**3.** Faites bouillir une grande casserole d'eau, ajoutez les rondins de riz, couvrez et laissez mijoter à feu moyen pendant 2 heures. Rajoutez de l'eau de temps à autre pour que le riz soit toujours immergé. Enlevez les rondins de riz, mettez au réfrigérateur jusqu'à ce qu'ils aient refroidi et durci; déroulez les rondins avant de servir.

**Note :**
Normalement, les rondins de riz sont enveloppés et cuits dans des feuilles de bananier blanchies. Cette méthode est recommandée si vous pouvez vous procurer ces feuilles, car elles ajoutent un parfum supplémentaire. Utilisez des cure-dents ou de la ficelle pour attacher les rondins. Les épiceries asiatiques spécialisées vendent souvent des feuilles de bananier en paquet. Servez les rondins de riz froids, en tranches ou en cubes.

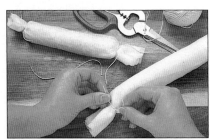

*Après avoir roulé le calicot pour envelopper le riz, attachez les bouts avec de la ficelle.*

*Coupez les rondins durcis en rondelles droites ou biseautées. Servez froid.*

# Riz parfumé à la noix de coco et aux épices

*Temps de préparation :*
5 minutes
*Temps de cuisson :*
20 minutes
*Pour 4 personnes*

| | |
|---|---|
| 1 cuil. à soupe d'huile | 8 feuilles de curry |
| 1/2 tasse de cacahuètes non salées, décortiquées et pilées grossièrement | 2 oignons verts coupés en rondelles de 2 mm |
| 1 cuil. à soupe de noix de coco séchée | 1 cuil. à café de cumin moulu |
| 250 ml de lait de coco | 1/2 cuil. à café de cardamome moulue |
| 500 ml d'eau | 1/2 cuil. a café de curcuma moulu |
| 1 tige de citronnelle de 10 cm | 2 1/2 tasses de riz long grain |

**1.** Faites chauffer l'huile dans une casserole. Ajoutez les cacahuètes, remuez jusqu'à ce qu'elles soient dorées; incorporez la noix de coco.
**2.** Ajoutez le lait de coco et l'eau dans la casserole. Incorporez la citronnelle, les feuilles de curry et les oignons verts et portez à ébullition. Baissez le feu et laissez mijoter 2 minutes sans couvercle. Ajoutez le cumin, la cardamome et le curcuma, et portez à ébullition. Ajoutez le riz, laissez cuire à découvert jusqu'à ce que de la vapeur se forme à la surface.
**3.** Couvrez la casserole avec un couvercle qui ferme bien, baissez le feu et laissez cuire 10 minutes à feu très doux. Soulevez le couvercle, vérifiez si le riz est cuit et continuez la cuisson si nécessaire.

**Note :**
On peut remplacer le riz long grain par du riz basmati ou du riz au jasmin. Évitez de soulever le couvercle de la casserole pendant que le riz cuit, car toute la vapeur s'échapperait et le riz collerait.

## CUISI-TRUC
Les feuilles de curry viennent du Sud-Est asiatique et, comme leur nom l'évoque, donne aux plats asiatiques une saveur riche, semblable au curry.

*Jetez les cacahuètes dans l'huile chaude, remuez jusqu'à ce qu'elles soient dorées, incorporez la noix de coco.*

*Ajoutez le lait de coco et l'eau aux cacahuètes dorées et à la noix de coco et mélangez bien.*

*Incorporez la citronnelle, les feuilles de curry et les oignons verts, et portez à ébullition.*

*Ajoutez le cumin, la cardamome et le curcuma. Portez à ébullition. Ajoutez le riz.*

# Nasi Goreng

*Un repas complet préparé en peu de temps.*

*Temps de préparation :*
15 minutes
*Temps de cuisson :*
8 minutes
*Pour 4 personnes comme plat principal*

---

500 g de crevettes roses fraîches de taille moyenne
2 cuisses de poulet désossées
2 œufs
3 cuil. à soupe d'huile d'arachide
1 grosse carotte coupée en bâtonnets
1 gousse d'ail écrasée
1 cuil. à café de sambal oelek

(voir Ingrédients de base)
1 cuil. à soupe de sauce foncée au soja
4 tasses de riz cuit
4 oignons verts coupés en rondelles bisautées
Oignon vert et poivron rouge coupés en bâtonnets et frisottés

---

**1.** Décortiquez les crevettes et enlevez la veine dorsale. Coupez le blanc de poulet en fines lanières.

**2.** Battez les œufs à la fourchette pour bien mélanger. Faites chauffer 1 cuil. à soupe d'huile dans une poêle, versez-y les œufs, laissez cuire à feu doux jusqu'à ce que les œufs aient pris, sortez-les de la poêle. Quand l'omelette est froide, roulez-la et coupez-la en tranches fines.

**3.** Faites chauffer le reste de l'huile dans la poêle, ajoutez les crevettes, le poulet, la carotte et l'ail ; faites revenir en remuant jusqu'à ce que le mélange brunisse.

**4.** Ajoutez le sambal oelek, la sauce au soja, le riz et les oignons verts, faites cuire en remuant jusqu'à ce que tout soit bien chaud. Servez garni de lanières d'omelette, d'oignon vert et de poivron rouge frisottés (voir Cuisi-truc).

**Note :**
Servez le Nasi Goreng comme plat principal ou comme accompagnement. Pour cette recette, faites cuire 1 1/2 tasse de riz. Le riz cuit doit avoir refroidi avant d'être frit ; cela empêche qu'il colle.

---

## CUISI-TRUC
Pour frisotter l'oignon vert et le poivron rouge, coupez-les en fines lanières ; plongez-les dans de l'eau glacée et mettez au frais.

*Décortiquez les crevettes. Coupez le blanc de poulet en fines lanières et préparez les légumes.*

*Faites revenir les crevettes, le poulet, la carotte et l'ail jusqu'à ce qu'ils soient très chauds et légèrement bruns.*

Ajoutez le sambal oelek, la sauce au soja, les
oignons verts et le riz ; faites revenir en remuant.

Coupez l'omelette en lanières et frisottez
l'oignon vert et le poivron rouge.

23

# Galettes au maïs et aux cacahuètes

*Temps de préparation :*
10 minutes
*Temps de cuisson :*
10 minutes
*Pour 4 personnes*

---

*2 épis de maïs*
*1 tasse de cacahuètes grillées*
*3 oignons verts coupés en*
*   minces lanières*
*2 cuil. à café de gingembre*
*   frais râpé*

*1 gousse d'ail écrasée*
*1 cuil. à café de cumin moulu*
*1 œuf légèrement battu*
*2 cuil. à soupe de farine de riz*
*125 ml d'huile d'arachide*

**1.** Enlevez les grains des épis de maïs avec un couteau tranchant ; mélangez-les dans un robot avec les cacahuètes, les oignons verts, le gingembre, l'ail et le cumin, jusqu'à que le tout soit finement haché et légèrement en bouillie. Transvasez dans un saladier.
**2.** Ajoutez l'œuf et la farine de riz ; mélangez soigneusement.
**3.** Faites chauffer l'huile dans une poêle, mettez-y le mélange par cuillerées et aplatissez avec le dos de la cuillère. Laissez cuire à feu moyen jusqu'à ce que les galettes soient dorées des deux côtés. Égouttez sur du papier absorbant.

**Note :**
Servez ces galettes comme amuse-gueule, comme entrée ou avec un plat de résistance.

*Broyez le maïs, les cacahuètes, les oignons verts, le gingembre, l'ail et le cumin.*

*Ajoutez au mélange l'œuf légèrement battu et la farine de riz et remuez jusqu'à ce tout soit bien incorporé.*

Mettez le mélange par cuillerées dans la poêle et aplatissez avec le dos de la cuillère.

Laissez cuire à feu moyen jusqu'à ce que les galettes soient dorées des deux côtés.

## Légumes accommodés au curry

*Temps de préparation :*
20 minutes
*Temps de cuisson :*
20 minutes
*Pour 4 personnes*

| | |
|---|---|
| 2 pommes de terre moyennes coupées en dés de 1 cm | 2 cuil. à soupe d'huile d'arachide |
| 1 petite aubergine coupée en dés de 2 cm | 2 cuil. à café de gingembre frais râpé |
| 150 g de mange-tout coupés en diagonale en morceaux de 2 cm | 2 cuil. à café de curry |
| | 1 cuil. à café de zeste de citron râpé |
| 200 g de chou chinois coupé en lanières | 1 cuil. à soupe de jus de citron |
| 1 carotte coupée en fine julienne | 1/2 cuil. à café de pâte de crevettes |
| 1 oignon coupé en huit | 250 ml d'eau |
| 2 gousses d'ail écrasées | 250 ml de lait de coco |

**1.** Épluchez et coupez les pommes de terre et l'aubergine en dés. Préparez les mange-tout, le chou, la carotte et l'oignon.
**2.** Faites chauffer l'huile dans une poêle ; ajoutez l'oignon et faites-le revenir 2 minutes en remuant. Ajoutez l'ail, le gingembre et le curry ; faites rissoler 2 minutes en remuant.

**3.** Ajoutez le zeste de citron, le jus de citron, la pâte de crevettes, l'eau et le lait de coco ; portez à ébullition.
**4.** Ajoutez les pommes de terre et l'aubergine, laissez mijoter 15 minutes en remuant de temps en temps. Ajoutez les mange-tout, le chou et la carotte, laissez mijoter encore 5 minutes jusqu'à ce que les légumes soient tendres.

**Note :**
Tous les légumes conviennent pour cette recette. Choisissez des légumes de différentes couleurs.

## CUISI-TRUC

Le chou chinois ressemble plutôt à une laitue ou à une énorme tête de céleri. Il est croquant et son goût est délicat.

*Coupez les pommes de terre et l'aubergine. Préparez les mange-tout, le chou, la carotte et l'oignon.*

*Ajoutez le lait de coco au mélange et portez doucement à ébullition.*

Ajoutez les pommes de terre et l'aubergine ; laissez mijoter 15 minutes sans couvercle ; remuez.

Ajoutez les mange-tout, le chou et la carotte ; laissez mijoter jusqu'à ce que les légumes soient tendres.

# Salade de légumes froide avec une sauce épicée

*Temps de préparation :*
15 minutes
*Temps de cuisson :*
8 minutes
*Pour 4 personnes*

| | |
|---|---|
| 10 feuilles d'épinards coupées en lanières de 5 mm | **Sauce épicée** |
| | 2 cuil. à soupe d'huile d'arachide |
| 300 g de haricots verts épluchés | 1 gousse d'ail écrasée |
| 80 g de germes de mange-tout | 1 cuil. à café de gingembre frais râpé |
| 100 g de germes de soja | |
| 1 poivron rouge coupé en fines lanières | 1 petit piment rouge haché |
| | 2 cuil. à soupe de noix de coco séchée |
| 1 oignon rouge émincé de haut en bas | 1 cuil. à soupe de vinaigre brun |
| | 4 cuil. à soupe d'eau |

**1.** Enlevez la tige des épinards, coupez les feuilles en fines lanières. Coupez les haricots en morceaux de 10 cm. Retirez les longues tiges des germes de mange-tout

**2.** Mettez les haricots dans une casserole d'eau bouillante, laissez cuire 1 minute pour les blanchir, puis égouttez. Dans un saladier, mélangez les épinards, les haricots, les germes de mange-tout

et de soja, le poivron et l'oignon.

**3.** Pour préparer la sauce épicée : faites chauffer l'huile dans une casserole, ajoutez l'ail, le gingembre, le piment et la noix de coco ; faites frire 1 minute à feu doux en remuant. Ajoutez le vinaigre et l'eau ; laissez mijoter 1 minute. Laissez refroidir.

**4.** Avant de servir, ajoutez la sauce aux légumes, remuez pour bien mélanger le tout.

**Note :**
Vous pouvez utiliser n'importe quel légume blanchi. Essayez de choisir les légumes de sorte que le plat soit coloré.

## CUISI-TRUC
Ajoutez la sauce 30 minutes au maximum avant de servir.

*Enlevez les tiges des épinards et coupez les feuilles en fines lanières.*

*Mélangez les épinards, les haricots, les germes de mange-tout et de haricots, le poivron et l'oignon.*

Pour la sauce épicée, ajoutez le vinaigre et l'eau à l'ail, au piment et à la noix de coco.

Nappez les légumes de sauce et remuez délicatement jusqu'à ce que tout soit bien mélangé.

## Curry d'ananas

*Un plat toujours très apprécié.*

*Temps de préparation :*
10 minutes
*Temps de cuisson :*
15 minutes
*Pour 4 personnes*

1 ananas de taille moyenne
1 cuil. à café de graines
   de cardamome
1 cuil. à café de graines
   de coriandre
1 cuil. à café de graines
   de cumin
1/2 cuil. à café de clous
   de girofle entiers
2 cuil. à soupe d'huile
2 oignons verts coupées en

morceaux de 2 cm
2 cuil. à café de gingembre
   frais râpé
4 noix de Bancoul
   grossièrement hachées
250 ml d'eau
1 cuil. à café de sambal oelek
   (voir Ingrédients de base)
1 cuil. à soupe de menthe
   hachée

**1.** Épluchez l'ananas et coupez-le en deux, enlevez la partie centrale, coupez l'ananas en morceaux de 2 cm.
**2.** Broyez dans un mortier les graines de cardamome, de coriandre et de cumin ainsi que les clous de girofle.
**3.** Faites chauffer l'huile dans une casserole, ajoutez les oignons verts, le gingembre, les noix de Bancoul et le mélange d'épices, faites frire 3 minutes à feu doux en remuant.
**4.** Ajoutez l'eau, le sambal oelek, la menthe et l'ananas ; portez à ébullition. Baissez le feu, laissez mijoter à couvert à feu doux pendant 10 minutes jusqu'à ce que l'ananas soit tendre tout en gardant sa forme.

**Note :**
Si l'ananas est un peu aigre, ajoutez 1 à 2 cuil. à café de sucre. Si vous préférez ou si vous n'avez pas d'ananas frais, vous pouvez le remplacer par une boîte de 450 g en morceaux égouttés.

## CUISI-TRUC

Ce curry à l'ananas peut être servi pour accompagner des légumes. Vous pouvez aussi y ajouter 500 g de crevettes fraîches décortiquées pour en faire un plat de résistance.

*Épluchez l'ananas et coupez-le en deux, enlevez le cœur et coupez l'ananas en morceaux de 2 cm.*

*Broyez dans un mortier les graines de cardamome, de coriandre et de cumin avec les clous de girofle.*

Ajoutez les oignons verts, le gingembre, les noix de Bancoul et le mélange d'épices dans la poêle.

Ajoutez l'eau, le sambal oelek, la menthe et l'ananas ; portez à ébullition.

# Tofu frit aux épices

*Temps de préparation :*
10 minutes
*Temps de cuisson :*
10 minutes
*Pour 4 personnes*

1 bloc de tofu de 375 g
1/2 tasse de farine de riz
2 cuil. à café de coriandre
   moulue
1 cuil. à café de cardamome
   moulue
1 gousse d'ail écrasée
125 ml d'eau
Huile de friture

**1.** Égouttez le tofu, coupez-le en tranches de 1 cm d'épaisseur.
**2.** Mélangez la farine, la coriandre, la cardamome et l'ail dans un saladier ; ajoutez l'eau ; remuez jusqu'à ce que le mélange soit homogène.
**3.** Faites chauffer l'huile dans une casserole. Trempez les tranches de tofu dans le mélange d'épices pour qu'elles en soient bien recouvertes.
**4.** Plongez les tranches de tofu par trois dans l'huile chaude, faites-les cuire à feu moyen 1 minute de chaque côté jusqu'à ce qu'elles soient croustillantes et dorées, puis égouttez-les sur du papier absorbant. Faites de même avec le reste des tranches.

**Note :**
Le tofu est vendu dans les magasins de spécialités asiatiques et dans les magasins de produits diététiques. Servez le tofu avec des légumes frits ou une sauce de votre choix, par exemple aux cacahuètes, au piment ou au soja ; le tofu absorbe les différentes saveurs.

Coupez le bloc de tofu égoutté en tranches de 1 cm d'épaisseur

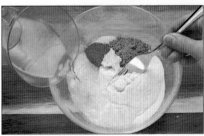

Ajoutez l'eau à la farine, la coriandre, la cardamome et l'ail ; remuez.

Trempez les tranches de tofu dans le mélange
d'épices pour qu'elles en soient bien recouvertes.

Plongez les tranches de tofu dans l'huile chaude,
jusqu'à ce qu'elles soient croustillantes et dorées.

*Coupez le bœuf en tranches fines, aplatissez les tranches si nécessaire avec un battoir à viande.*

*Mélangez l'ail, l'écorce de citron, le gingembre, la coriandre, le curcuma, le sucre de palme et l'huile.*

# VIANDES & VOLAILLES

**Bon nombre de ces plats peuvent être préparés à l'avance pour permettre aux arômes de se développer. Si l'on doit les manger chauds, on les réchauffera juste avant de servir.**

## Filet de bœuf enrobé de noix de coco grillée

*Idéal pour les réceptions.*

| | |
|---|---|
| *500 g de filet de bœuf* | *2 cuil. à café de sucre* |
| *2 gousses d'ail écrasées* | *de palme* |
| *2 cuil. à café de zeste de citron* | *3 cuil. à soupe d'huile* |
| *râpé* | *d'arachide* |
| *1 cuil. à café de gingembre* | *1/2 tasse de noix de coco* |
| *frais râpé* | *séchée* |
| *2 cuil. à café de coriandre* | *3 oignons verts coupés en fines* |
| *moulue* | *lanières* |
| *1/2 cuil. à café de curcuma* | |
| *moulu* | |

*Temps de préparation :*
15 minutes + 1 heure
de repos
*Temps de cuisson :*
10 minutes
*Pour 4 personnes*

**1.** Coupez le bœuf en tranches fines, aplatissez les tranches si nécessaire avec un battoir à viande.

**2.** Mélangez l'ail, l'écorce de citron, le gingembre, la coriandre, le curcuma, le sucre de palme et 2 cuil. à soupe d'huile dans un saladier. Ajoutez les tranches de viande, remuez bien pour qu'elles soient recouvertes de ce mélange. Laissez reposer au moins 1 heure.

**3.** Faites chauffer la dernière cuil. d'huile dans une poêle, ajoutez la viande et faites-la cuire en remuant jusqu'à ce qu'elle ait bruni. Ajoutez la noix de coco et les oignons verts, laissez cuire 1 minute en remuant jusqu'à ce que le mélange soit brun. Servez avec du riz à la vapeur.

## CUISI-TRUC
Le filet de bœuf sera plus facile à couper si vous le mettez au congélateur une heure avant de le découper.

*Laissez cuire la viande marinée dans une poêle jusqu'à ce que la viande ait bruni.*

*Ajoutez la noix de coco et les oignons verts, laissez cuire 1 minute. Servez immédiatement.*

## Curry d'agneau

*Un plat très apprécié.*

*Temps de préparation :*
15 minutes
*Temps de cuisson :* 1 heure
*Pour 6 personnes*

| | |
|---|---|
| 1,5 kg de gigot d'agneau désossé | 1/2 bâton de cannelle broyé |
| 1 cuil. à soupe de graines de coriandre | 2 cuil. à soupe d'huile |
| 2 cuil. à café de grains de poivre noir | 1 gros oignon haché |
| 2 cuil. à café de graines de cardamome | 2 gousses d'ail écrasées |
| 2 cuil. à café de graines de cumin | 2 cuil. à café de gingembre frais râpé |
| 6 clous de girofle entiers | 1 tige de citronnelle de 10 cm |
| | 400 g de tomates en boîte |
| | 500 ml d'eau |
| | 250 ml de lait de coco |

**1.** Ôtez le gras du gigot, coupez la viande en cubes de 2,5 cm.

**2.** Broyez finement les graines de coriandre, de cardamome et de cumin, les grains de poivre, les clous de girofle et la cannelle.

**3.** Faites chauffer l'huile dans une casserole, ajoutez l'agneau en trois fois, laissez cuire jusqu'à ce que la viande soit brune, puis retirez-la de la poêle.

**4.** Mettez l'oignon, l'ail, le gingembre et la citronnelle dans la poêle, faites frire jusqu'à ce que l'oignon soit tendre. Ajoutez le mélange d'épices, laissez cuire encore 3 minutes.

**5.** Remettez l'agneau dans la poêle avec les tomates écrasées non égouttées, l'eau et le lait de coco et portez à ébullition. Baissez le feu et laissez mijoter à feu doux sans couvercle, en remuant souvent, pendant 1 heure et demie, jusqu'à ce que la viande soit tendre.

### REMARQUE :

La plupart des Indonésiens sont musulmans et ne mangent donc pas de porc. À la place, ils consomment de l'agneau, du bœuf ou de la chèvre.

*Coupez la viande. Broyez la coriandre, le poivre, la cardamome, le cumin, les clous de girofle et la cannelle.*

*Faites chauffer l'huile dans une poêle, laissez cuire la viande ; retirez-la quand elle est brune.*

Ajoutez l'oignon, l'ail, le gingembre et
la citronnelle et laissez cuire en remuant.

Ajoutez à la viande les tomates non égouttées,
l'eau et le lait de coco.

37

# Boulettes de viande épicées avec du vermicelle chinois à la tomate

*Temps de préparation :*
15 minutes
*Temps de cuisson :*
15 minutes
*Pour 4 personnes*

| | |
|---|---|
| *500 g de viande de bœuf hachée* | *1/2 cuil. à café de noix de muscade râpée* |
| *1 tasse de purée de pommes de terre* | *180 ml d'huile d'arachide* |
| *2 cuil. à café de sambal oelek (voir Ingrédients de base)* | **Vermicelle chinois à la tomate** |
| *1 cuil. à soupe de sauce légère au soja* | *425 g de tomates en boîte* |
| *1 cuil. à soupe de coriandre moulue* | *250 ml d'eau* |
| *1 cuil. à café de cumin moulu* | *1 oignon haché* |
| *1 cuil. à café de cardamome moulue* | *2 gousses d'ail écrasées* |
| *1 œuf légèrement battu* | *2 cuil. à soupe de sauce légère au soja* |
| | *100 g de vermicelle chinois* |

**1.** Mélangez la viande dans un saladier avec la purée, le sambal oelek, la sauce au soja, la coriandre, le cumin, la cardamome, la muscade et l'œuf. Formez des boulettes (1 cuil. à soupe de viande par boulette).

**2.** Faites chauffer l'huile dans une poêle, ajoutez les boulettes en une seule fois, faites cuire de tous les côtés à feu moyen jusqu'à ce qu'elles soient bien cuites. Égouttez sur du papier absorbant.

**3.** Préparation du vermicelle à la tomate : mélangez les tomates écrasées, non égouttées, l'eau, l'oignon, l'ail et la sauce au soja dans une casserole, baissez le feu, laissez mijoter à feu doux sans couvercle pendant 3 minutes jusqu'à ce que le vermicelle soit cuit. Servez avec les boulettes.

**Note :**
Le vermicelle chinois est vendu dans les supermarchés ou les magasins de spécialités asiatiques.

## CUISI-TRUC
Pour cette recette, vous pouvez utiliser de la purée en sachet.

*Prenez une cuil. à soupe du mélange de viande, d'épices et d'œuf par boulette.*

*Faites chauffer l'huile dans une poêle, ajoutez les boulettes, faites cuire de tous les côtés à feu moyen.*

Ajoutez l'oignon et l'ail aux tomates écrasées
et à l'eau.

Ajoutez le vermicelle au mélange de tomates et
laissez mijoter jusqu'à ce que le vermicelle soit tendre.

## Rendang de bœuf

*Servez avec du riz.*

*Temps de préparation :*
15 minutes
*Temps de cuisson :*
2 heures
*Pour 4 personnes*

*1 kg de rumsteck*
*2 oignons hachés*
*4 gousses d'ail hachées*
*1 cuil. à soupe de gingembre*
*  frais haché*
*4 petits piments rouges hachés*
*125 ml d'eau*
*2 cuil. à café de coriandre*
*  moulue*

*2 cuil. à soupe de sauce au*
*  tamarin*
*1 cuil. à café de curcuma*
*  moulu*
*10 feuilles de curry*
*1 tige de citronnelle de 10 cm*
*1 l de lait de coco*

**1.** Enlevez le gras et les filaments du steak, coupez la viande en cubes de 3 cm, mettez-les dans un saladier.

**2.** Mettez dans un robot les oignons, l'ail, le gingembre, les piments et l'eau et broyez jusqu'à obtention d'un mélange homogène. Ajoutez le mélange au steak.

**3.** Ajoutez la coriandre, la sauce au tamarin, le curcuma, les feuilles de curry et la citronnelle ; remuez pour bien mélanger. Mettez le tout dans une casserole ; incorporez le lait de coco. Portez à ébullition, baissez le feu et laissez mijoter à feu moyen sans couvercle pendant 1 heure en remuant de temps à temps. Baissez encore le feu, laissez mijoter 30 minutes à feu très doux en remuant fréquemment jusqu'à ce que la viande soit très tendre et que le liquide ait été absorbé. Retirez la citronnelle avant de servir.

**Note :**

Il est nécessaire de remuer souvent le Rendang de bœuf durant les dernières 30 minutes de cuisson pour empêcher le lait de coco de s'écrémer et le mélange de coller. Ce curry caractéristique et délicieux est cuit à feu très doux pendant longtemps jusqu'à ce que la viande devienne très tendre et que tout le lait de coco soit absorbé.

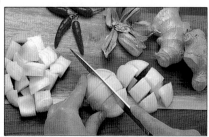

*Préparez les oignons, l'ail, le gingembre frais et les petits piments rouges.*

*Ajoutez le mélange d'oignons, d'épices, de piments et d'eau aux cubes de viande.*

*Ajoutez la coriandre, la sauce au tamarin, le curcuma, les feuilles de curry et la citronnelle ; remuez.*

*Incorporez le lait de coco. Portez à ébullition, baissez le feu et laissez mijoter.*

## Poulet au citron

*Un plat de résistance épicé.*

4 poulets de 500 g chacun
2 oignons hachés
2 piments rouges
2 gousses d'ail écrasées
1 oignon vert haché
3 cuil. à soupe d'huile
    d'arachide
4 cuil. à soupe de jus
    de citron

*Temps de préparation :*
15 minutes + 1 heure
de repos
*Temps de cuisson :*
40 minutes
*Pour 4 personnes*

**1.** Coupez les poulets en deux. Appuyez sur les deux moitiés pour les aplatir légèrement.

**2.** Broyez l'oignon, le piment coupé, l'ail, l'huile et le jus de citron dans un robot jusqu'à obtention d'un mélange homogène. Répartissez sur les poulets avec une cuillère. Laissez reposer 1 heure ou pendant la nuit.

**3.** Sortez les poulets de la marinade avec une pince, mettez-les côte à côte dans un plat allant au four. Laissez cuire à 180 °C pendant 40 minutes jusqu'à ce que les poulets soient bien cuits et dorés. Enduisez de marinade de temps à autre.

### CUISI-TRUC
Cette marinade convient à tous les morceaux de poulet, les cuisses ou le blanc par exemple.

*Coupez les poulets en deux.*

*Broyez l'oignon, le piment, l'ail, l'huile et le jus de citron jusqu'à obtention d'un mélange homogène.*

*Étalez la marinade sur les poulets. Laissez reposer au moins 1 heure.*

*Mettez les poulets côte à côte dans un plat allant au four.*

## Poulet au tamarin

*Utilisez des piments doux.*

| | |
|---|---|
| 4 cuisses de poulet | 2 gousses d'ail écrasées |
| 4 pilons de poulet | 2 cuil. à soupe d'huile |
| 4 cuil. à soupe de sauce |   d'arachide |
|   au tamarin | 2 piments rouges finement |
| 2 cuil. à café de coriandre |   hachés |
|   moulue | 6 oignons verts finement |
| 1 cuil. à café de curcuma |   hachés |
|   moulu | Huile de friture |

*Temps de préparation :*
15 minutes + 2 heures
de repos
*Temps de cuisson :*
30 minutes
*Pour 4 personnes*

**1.** Enlevez la peau des morceaux de poulet ; mettez-les dans une casserole d'eau. Laissez mijoter à couvert pendant 15 minutes jusqu'à ce que la viande soit cuite ; égouttez et laissez refroidir.

**2.** Mélangez la sauce au tamarin, la coriandre, le curcuma et l'ail ; ajoutez le poulet, roulez les morceaux dans le mélange d'épices pour qu'ils en soient bien recouverts. Laissez reposer au moins 2 heures, de préférence une nuit.

**3.** Faites chauffer l'huile d'arachide dans une poêle, ajoutez les piments et les oignons verts, faites revenir à feu doux 3 minutes en remuant. Mettez de côté.

**4.** Faites chauffer l'huile de friture dans une grande casserole. Faites cuire le poulet en trois fois à feu moyen pendant 5 minutes jusqu'à ce qu'il soit très chaud et doré. Retirez de la casserole, égouttez sur du papier absorbant, gardez au chaud pendant que vous faites cuire le reste de poulet.

**5.** Servez les morceaux de poulet avec une cuillerée du mélange au piment que vous avez mis de côté.

**Note :**
Pour atténuer encore le goût relevé, choisissez des piments verts.

### CUISI-TRUC
Si vous préférez, vous pouvez faire griller les morceaux de poulets marinés au lieu de les faire frire.

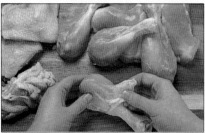

*Enlevez la peau des morceaux de poulet ; mettez-les dans une casserole d'eau.*

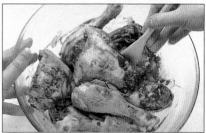

*Roulez les morceaux de poulet dans le mélange d'épices pour qu'ils en soient bien recouverts.*

Faites chauffer l'huile, ajoutez les piments et les
oignons verts, laissez cuire à feu doux en remuant.

Faites frire le poulet jusqu'à ce qu'il soit doré. Retirez
du bain d'huile, égouttez sur du papier absorbant.

# Pilons de poulet à l'ananas

*Temps de préparation :*
20 minutes
*Temps de cuisson :*
35 minutes
*Pour 4 personnes*

| | |
|---|---|
| *8 pilons de poulet* | *1 cuil. à café de gingembre* |
| *1 petit ananas* | *frais haché* |
| *2 cuil. à soupe d'huile* | *2 petits piments rouges coupés* |
| *d'arachide* | *en rondelles minces* |
| *1 oignon haché* | *4 cuil. à soupe de lait de coco* |
| *1 gousse d'ail écrasée* | *125 ml d'eau* |

**1.** Coupez les bouts des os des pilons de poulet avec un grand couteau bien aiguisé. Enlevez la peau et le gras des pilons.

**2.** Épluchez l'ananas et retirez la partie centrale; coupez-le en cubes de 2 cm.

**3.** Faites chauffer l'huile dans une poêle, ajoutez les morceaux de poulet et l'oignon. Faites frire de tous les côtés jusqu'à ce qu'ils soient dorés. Ajoutez l'ananas, remuez pendant 1 minute. Ajoutez le gingembre frais, l'ail et le piment rouge, laissez cuire 1 minute.

**4.** Versez le lait de coco et l'eau dans la poêle, portez à ébullition, baissez le feu, laissez mijoter à feu doux pendant 30 minutes à couvert jusqu'à ce que le poulet soit cuit, en remuant de temps en temps.

*Enlevez la peau et le gras du poulet. Faites frire les morceaux de poulet et l'oignon dans la poêle en remuant.*

*Ajoutez l'ananas au poulet et à l'oignon, remuez pendant 1 minute.*

*Ajoutez le gingembre, l'ail et le piment au mélange à base de poulet, laissez frire 1 minute.*

*Versez le lait de coco et l'eau dans la poêle, portez à ébullition, laissez cuire à feu doux.*

## Pandang au poulet

*Un plat léger, aromatique, avec une saveur piquante.*

*Temps de préparation :
15 minutes + 1 heure
de repos
Temps de cuisson :
40 minutes
Pour 4 personnes*

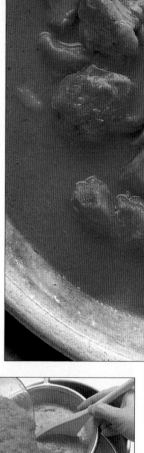

| | |
|---|---|
| *1 kg de blanc de poulet coupé en cubes de 3 cm* | *2 cuil. à café de gingembre frais râpé* |
| *1/2 tasse de jus de citron vert* | *2 gousses d'ail écrasées* |
| *250 g de tomates bien mûres* | *1 cuil. à café de curcuma moulu* |
| *250 ml d'eau* | |
| *3 petits piments rouges épépinés et coupés en petites lanières minces* | *1 tige de citronnelle de 10 cm* |
| | *250 ml de crème de noix de coco* |

**1.** Mélangez le poulet et le jus de citron vert ; laissez reposer environ 1 heure.

**2.** Coupez les tomates, ajoutez l'eau, passez au mixeur pour que le mélange soit homogène ; versez dans une poêle.

**3.** Ajoutez les piments, le gingembre, l'ail, le curcuma, la citronnelle (à enlever avant de servir) et le poulet non égoutté. Portez à ébullition, baissez le feu, couvrez et laissez mijoter 30 minutes.

**4.** Ajoutez la crème de noix de coco, laissez mijoter encore 10 minutes à découvert.

*Coupez les blancs de poulet en cubes de 3 cm. Mélangez avec le jus de citron.*

*Mixez les morceaux de tomates et l'eau pour obtenir un mélange homogène. Versez dans une poêle.*

*Ajoutez les piments, le gingembre, l'ail, le curcuma, la citronnelle et le poulet non égoutté.*

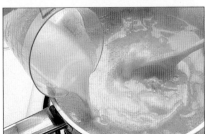

*Incorporez la crème de noix de coco, laissez mijoter 10 minutes à découvert.*

*Mélangez la crème de noix de coco, le zeste, le jus de citron, la sauce au soja et la pâte de crevettes.*

*Versez l'huile dans une poêle. Faites revenir les oignons et les crevettes jusqu'à ce que le tout soit tendre.*

# FRUITS DE MER

**Les îles indonésiennes abondent en fruits de mer. Les plats sont épicés
et largement enrichis à la crème de noix de coco.**

## Crevettes aux épices

*Temps de préparation :*
15 minutes
*Temps de cuisson :*
5 minutes
*Pour 4 personnes*

1,25 kg de grosses crevettes
roses/gambas fraîches
200 ml de crème de noix de
coco
1 cuil. à café de zeste de
citron ou de citron vert râpé
1 cuil. à soupe de jus de citron
ou de citron vert
2 cuil. à café de sauce légère
au soja

1/2 cuil. à café de pâte
de crevettes
1 cuil. à soupe d'huile
d'arachide
1 petit oignon coupé en
8 morceaux
Oignon vert et poivron rouge
coupés en lanières et frisottés
pour décorer

**1.** Épluchez les crevettes
en laissant la queue intacte,
enlevez la veine dorsale.
**2.** Mélangez la crème de noix
de coco, le zeste, le jus

de citron, la sauce au soja
et la pâte de crevettes dans un
saladier.
**3.** Faites chauffer l'huile dans
une poêle, ajoutez l'oignon,

laissez cuire en remuant
jusqu'à ce qu'il soit tendre.
Ajoutez les crevettes, faites
encore cuire 2 minutes
en continuant de remuer.
**4.** Ajoutez le mélange
à la crème de noix de coco,
remuez sur le feu pendant
3 minutes jusqu'à ce que
la sauce ait réduit ou épaissi.
Servez garni d'oignon vert
et de poivron rouge.

## CUISI-TRUC

Ce plat peut être préparé à
l'avance. Réchauffez juste
avant de servir. Pour
frisotter l'oignon vert et/ou
le poivron rouge, coupez-les
en lanières très fines de
6 cm de long. Mettez-les
dans un saladier avec de l'eau
glacée, réfrigérez jusqu'à ce
qu'elles frisottent. Égouttez
avant de les utiliser.

*Ajoutez le mélange à la crème de noix de coco
et remuez sur feu doux pendant 3 minutes.*

*Coupez l'oignon vert et le poivron rouge en fines
lanières dans de l'eau glacée. Utilisez pour garnir.*

51

## Crevettes roses aux cacahuètes

*Temps de préparation :*
1 heure 20 minutes
*Temps de cuisson :*
3 minutes
*Pour 4 personnes*

*1,25 kg de grosses crevettes roses/gambas fraîches*
*4 oignons verts hachés*
*1 gousse d'ail écrasée*
*1 cuil. à café de gingembre frais râpé*
*1 cuil. à café de sambal oelek (voir Ingrédients de base)*
*1 cuil. à café de coriandre moulue*

*1/2 cuil. à café de curcuma moulu*
*1 cuil. à café de zeste de citron râpé*
*1 cuil. à soupe de jus de citron*
*2/3 de tasse de cacahuètes grillées, non salées, hachées*
*2 cuil. à soupe d'huile d'arachide*

**1.** Décortiquez les crevettes en laissant la queue intacte, enlevez la veine dorsale.
**2.** Mélangez les crevettes avec les oignons verts, l'ail, le gingembre, le sambal oelek, la coriandre, le curcuma, le zeste et le jus de citron et les cacahuètes. Laissez reposer au moins 1 heure.
**3.** Faites chauffer l'huile dans une poêle, ajoutez le mélange aux crevettes, faites cuire à feu vif en remuant pendant env. 3 minutes jusqu'à ce que les crevettes soient cuites.

*Décortiquez les crevettes fraîches en laissant la queue intacte, enlevez la veine dorsale.*

*Mélangez les crevettes, les oignons verts, l'ail, le gingembre, le sambal oelek, la coriandre, le curcuma.*

*Ajoutez le zeste et le jus de citron et les cacahuètes. Laissez reposer.*

*Mettez le mélange aux crevettes dans l'huile chaude, faites cuire en remuant.*

## Poisson frit aux épices

*Temps de préparation :*
15 minutes
*Temps de cuisson :*
30 minutes
*Pour 2 personnes*

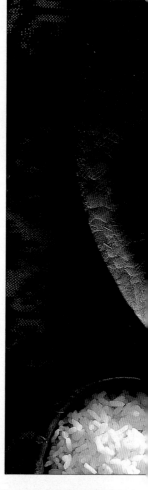

*2 x 300 g de poisson blanc entier*
*1 oignon haché*
*1 gousse d'ail écrasée*
*1 cuil. à café de gingembre frais haché*
*1 cuil. à café de zeste de citron haché*

*2 cuil. à soupe de sauce au tamarin*
*1 cuil. à soupe de sauce légère au soja*
*1 cuil. à soupe d'huile d'arachide*

**1.** Mettez les poissons sur de grandes feuilles d'aluminium. Incisez profondément le poisson trois fois de chaque côté avec un couteau tranchant.

**2.** Dans un robot, broyez l'oignon, l'ail, le gingembre, le zeste de citron, la sauce au tamarin, la sauce légère au soja et l'huile d'arachide jusqu'à obtention d'un mélange homogène.

**3.** Étalez le mélange sur les deux côtés du poisson et à l'intérieur.

**4.** Enveloppez le poisson dans la feuille, fermez bien. Mettez le poisson sur un plat allant au four, laissez cuire 30 minutes à 180 °C.

*Mettez les poissons sur de grandes feuilles d'aluminium. Incisez-les profondément de chaque côté.*

*Broyez l'oignon, l'ail, le gingembre, le zeste de citron, la sauce au tamarin, la sauce au soja et l'huile.*

Étalez le mélange à l'oignon et à l'ail sur
les deux côtés du poisson et à l'intérieur.

Enveloppez le poisson dans la feuille, fermez.
Mettez-le sur un plat allant au four et laissez cuire.

## Tranches de poisson à la sauce au curry

*Temps de préparation :*
10 minutes
*Temps de cuisson :*
15 minutes
*Pour 4 personnes*

---

1 cuil. à soupe d'huile
1 oignon coupé de haut en bas en grosses tranches
1 cuil. à café de gingembre frais râpé
8 noix de Bancoul coupées en 8 morceaux
1 cuil. à café de curry en poudre

2 cuil. à café de sauce légère au soja
2 cuil. à café de jus de citron
250 ml d'eau
4 tranches de poisson coupées côté queue
2 oignons verts hachés

---

**1.** Faites chauffer l'huile dans une poêle, ajoutez l'oignon, faites revenir en remuant jusqu'à ce qu'il soit tendre.

Ajoutez le gingembre, les noix de Bancoul et le curry en poudre, laissez cuire 3 minutes à feu doux en remuant.

**2.** Ajoutez la sauce au soja, le jus de citron et l'eau ; portez à ébullition. Baissez le feu et laissez mijoter 3 minutes.

**3.** Mettez les tranches de poisson côte à côte dans la poêle. Couvrez, laissez mijoter 5 minutes de chaque côté jusqu'à ce qu'elles soient bien cuites. Parsemez d'oignons verts hachés.

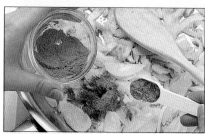

*Ajoutez le gingembre, les noix de Bancoul et le curry en poudre à l'oignon frit.*

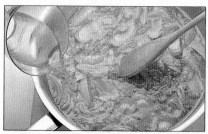

*Ajoutez la sauce au soja, le jus de citron et l'eau au mélange à l'oignon et au curry ; portez à ébullition.*

*Mettez les tranches de poisson côte à côte sur le mélange à l'oignon. Couvrez et laissez mijoter.*

*Parsemez d'oignons verts hachés les tranches de poisson et le mélange à l'oignon.*

*Ajoutez le mélange d'œufs et de lait aux farines tamisées, la noix de coco et le sucre.*

*Versez 2 cuil. à soupe du mélange dans une poêle chaude, quand la crêpe est dorée, retournez.*

# DESSERTS

**Les Indonésiens utilisent beaucoup pour leurs desserts des fruits frais tropicaux qu'ils parfument délicatement avec de la crème de noix de coco et du sucre de palme.**

### Crêpes à la mangue nappées de sauce à la noix de coco

*Temps de préparation :*
10 minutes
*Temps de cuisson :*
15 minutes
*Pour 4 personnes*

1/2 tasse de farine
1/2 tasse de farine de riz
  brune
1/2 tasse de noix de coco séchée
2 cuil. à soupe de sucre en
  poudre
2 œufs légèrement battus

310 ml de lait
2 mangues épluchées et
  coupées en morceaux
250 ml de crème de noix
  de coco
1 cuil. à soupe de sucre
  de palme

**1.** Mélangez les farines tamisées dans un saladier avec la noix de coco et le sucre. Ajoutez le mélange d'œufs et de lait, battez jusqu'à ce que le tout soit homogène.
**2.** Graissez une poêle de 18 cm de diamètre. Faites chauffer sur feu moyen. Versez-y 2 cuil. à soupe du mélange, faites cuire le dessous de la crêpe jusqu'à ce qu'il soit légèrement doré. Retournez la crêpe, laissez cuire encore 1 minute. Retirez de la poêle. Procédez de même avec le reste du mélange.
**3.** Répartissez les mangues sur les crêpes, roulez-les et repliez les bouts.
**4.** Mélangez la crème de noix de coco et le sucre de palme dans une casserole, faites chauffer en remuant jusqu'à ce que le sucre soit dissous. Versez sur les crêpes avant de servir.

**Note :**
Si vous ne trouvez pas de mangues fraîches, prenez des mangues en boîte ou un autre fruit.

### CUISI-TRUC
Le sucre de palme est un sucre brun foncé préparé avec le jus de la fleur du cocotier.

*Fourrez les crêpes avec les morceaux de mangue et roulez-les en prenant soin de replier les bouts.*

*Mélangez la crème de noix de coco et le sucre de palme dans une poêle et remuez jusqu'à dissolution du sucre.*

# Bananes chaudes à la sauce à la cannelle et à la noix de coco

*Temps de préparation :*
5 minutes
*Temps de cuisson :*
10 minutes
*Pour 4 personnes*

| | |
|---|---|
| *4 grosses bananes* | *2 cuil. à soupe de sucre* |
| | *1/2 cuil. à café de cannelle* |
| **Cannelle** | *moulue* |
| **Sauce à la noix de coco** | *330 ml de lait de coco* |
| *1 cuil. à soupe de farine* | |

**1.** Enlevez les bouts des bananes, laissez cuire les bananes à l'étuvée pendant 5 minutes.
**2.** Utilisez une pince et un couteau pour éplucher les bananes.
**3.** Préparation de la sauce à la cannelle et à la noix de coco : mettez la farine, le sucre et la cannelle dans une casserole et remuez pour bien mélanger le tout. Ajoutez le lait de coco et remuez pour que le mélange soit homogène. Remuez sans arrêt sur feu moyen jusqu'à ce que le mélange arrive à ébullition et épaississe. Laissez mijoter 2 minutes. Servez la sauce à la cannelle et à la noix de coco avec les bananes chaudes.

**Note :**
La peau des bananes noircira pendant la cuisson, mais les bananes seront dorées à l'intérieur.

*Rincez les bananes et enlevez les bouts avec un couteau bien aiguisé.*

*Laissez cuire les bananes à l'étuvée au-dessus d'une marmite d'eau bouillante.*

*Enlevez délicatement la peau avec une pince et un couteau. À l'intérieur, les bananes doivent être dorées.*

*Mélangez la farine, le sucre, la cannelle et le lait de coco. Laissez mijoter pour faire épaissir.*

## Gâteau au chocolat et aux épices

*Temps de préparation :*
30 minutes
*Temps de cuisson :*
45 minutes
*Donne 1 gâteau de 20 cm*

185 g de beurre
1 tasse de sucre en poudre
4 œufs
1 tasse 1/2 de farine
1 tasse de farine avec levure
  incorporée

180 ml de tasse de lait
100 g de chocolat noir râpé
2 cuil. à café de mélange
  d'épices moulues
Sucre glace

**1.** Préchauffez le four à 180 °C. Mixez le beurre ramolli et le sucre jusqu'à ce que le mélange soit léger et crémeux. Ajoutez les œufs un par un, incorporez chaque œuf avant d'ajouter le suivant.

**2.** Versez le lait sur les farines tamisées.

**3.** Divisez le mélange en deux parts. Incorporez le chocolat dans l'une et mélangez les épices à l'autre.

**4.** Mettez à la cuillère le mélange au chocolat dans un moule à charlotte beurré de 20 cm. Recouvrez de mélange épicé. Égalisez à la cuillère.

**5.** Faites cuire 45 minutes jusqu'à ce que le gâteau soit bien cuit. Posez sur une grille pour qu'il refroidisse. Servez saupoudré de sucre glace.

*Incorporez les farines tamisées et le lait au mélange de beurre ramolli, de sucre et d'œufs.*

*Ajoutez les épices à une moitié du mélange, incorporez le chocolat à l'autre.*

*Mettez à la cuillère le mélange au chocolat dans le moule beurré et égalisez.*

*Déposez le mélange aux épices sur le mélange au chocolat et égalisez la surface avec une cuillère.*

# INDEX